Av. Cabildo 1852
1428 Buenos Aires
Tel. 782 6783

ALFAGUARA

El insoportable

Ricardo Mariño

1996, Ricardo Mariño

De esta edición:

1996, Aguilar, Altea, Taurus, Alfaguara, S.A.
Beazley 3860. 1437 Buenos Aires

ISBN: 950-511-250-5
Hecho el depósito que indica la Ley 11.723
Impreso en Argentina. Printed in Argentina

Primera edición: Septiembre de 1996
Primera reimpresión: Mayo de 1997

Diseño de la colección:
José Crespo, Rosa Marín, Jesús Sanz

Una editorial del grupo **Santillana** que edita en:
España • Argentina • Colombia • Chile • México
EE.UU. • Portugal • Puerto Rico • Venezuela

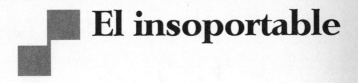

El insoportable

"Hay otro mundo y está en éste..."

Paul Eluard

Índice

Capítulo I

El lugar elegido para acampar no era el más apropiado y él no era precisamente un amante de la Naturaleza. Bruno Wrokitzkiewitzs —llamado "el innombrable" a causa de su apellido, o "el escritor" porque se sabía que estaba escribiendo una novela—, ni bien se detuvo el ómnibus comenzó sus interminables quejas:

—¡Debo estar en medio de una pesadilla! ¡Gritan los pájaros, la tierra está llena de tierra, hay sol, miles de insectos se abalanzan sobre nosotros! ¡Y todavía tenemos que caminar llevando mochilas! Ya que nos metemos en la jungla ¿por qué no trajeron elefantes de carga?

Aquel domingo los veinticinco alumnos de séptimo grado habían saludado muy temprano a los padres y hermanos que fueron a despedirlos y viajaron tres horas en un ómnibus que finalmente los dejó en ese desolado paraje. Al pie del vehículo comieron emparedados y bebieron gaseosas y luego caminaron dos horas hacia el bosque que se veía casi en lo alto de la sierra. Llevaban mochilas, carpas, víveres, bidones con agua, medicinas y faroles.

Los profesores Bernardo y Lana coordinaban cada movimiento y animaban a quienes, viendo donde iban a pasar una semana completa, ya empezaban a arrepentirse de haber elegido ese lugar. Este año el voto de la mayoría de los alumnos se había inclinado por un sitio inhóspito donde no había agua potable ni luz eléctrica, con la idea de que el campamento resultara una verdadera "aventura".

De todos los miembros del grupo quien no tenía de qué arrepentirse porque había estado en contra de esa idea desde el primer momento era precisamente Bruno.

—¿Qué es esto? ¡En cualquier momento nos atacan los salvajes! —seguía gritando.

Cuando por fin llegaron al lugar elegido para acampar, los profesores dieron la orden de armar rápidamente las carpas antes de que se hiciera de noche. Después de instalar sus tiendas algunos alumnos, como Tania, prefirieron hacer una recorrida por los alrededores y otros, como Ulises Glup, organizaron un partido de fútbol. Bruno no sabía por dónde empezar a armar la suya pero en cambio tenía claro qué le molestaba de todo aquello:

—Este lugar reúne todo lo que me molesta: viento, insectos, polvo, alimañas, campo, desolación, ruta... sólo faltan mi tía Olivia con sus consejos y la vecina de arriba de mi casa que ensaya canto lírico.

—Te ayudo a armar la carpa, Bruno —le dijo la bella profesora Lana, a quien las opiniones de Bruno solían divertir.

—¡Que la arme él solito! —gritó el profesor Bernardo, a quien las opiniones de Bruno solían enfurecer.

—Creo que cualquiera de estos árboles inmensos se puede derrumbar durante la noche, señorita. Moriremos aplastados —le dijo Bruno.

—Esperemos que no. Hay que clavar las estacas.

—Además, en las inmediaciones debe haber víboras, arañas peludas, boas constrictoras y animales que atacan en manada, como las hienas.

—Ojalá no tengan ganas de atacar antes de que armemos tu carpa —recomendó Lana.

—¿Trajimos armas? —preguntó Bruno—. Digo, ya que cargamos tantas cosas inútiles como pelotas, herramientas y hasta un equipo de música, espero que también hayan incluido una carabina.

—No. Armas de fuego no trajimos. Las pelotas son para jugar al voley y al fútbol, las herramientas sirven para armar la carpa y el equipo para escuchar música, bailar o grabar el canto de los pájaros —agregó la profesora, manteniendo el tono burlón, y sin dejar de martillar sobre una estaca.

—¿Grabar el canto de los pájaros? ¿A qué vinimos? ¿A descansar o a participar de un documental? ¿Quién organizó este viaje? ¿La National Geographic? Seguro que tampoco trajeron un botiquín de primeros auxilios. Los mosquitos nos transmitirán sus enfermedades tropicales. Moriremos entre delirios horribles producidos por la fiebre.

—¡Basta, Bruno! Armemos la carpa de una vez. Te toca acampar con los mellizos García.

—¡No! Qué castigo. Esos dos viven peleándose. ¿Por qué me pusieron con ellos? ¿Quién soy yo? ¿El Papa? ¿La ONU? Además, por qué no vienen a ayudar. ¿Tengo que instalar la carpa yo solo?

Al rato, más por la contribución de Lana que por el trabajo de Bruno, la carpa quedó lista. Ya era casi el anochecer. Bruno depositó adentro los libros y revistas que había traído, el farol y otras pertenencias y salió a dar una recorrida.

Él tenía claro que detestaba el viento, la lluvia, la nieve, la suciedad que se pega a las manos, el sol que hiere los ojos, el lodo, los insectos, el silencio, la noche con sus ruidos. De modo que si estaba en ese lugar, lejos de las pantallas de los televisores, los videojuegos y los ordenadores, era por seguir los pasos de su compañera Tania Castaño, que era lo que justamente estaba haciendo en ese momento.

Tania era delgada, alta y rubia, pero lo más llamativo en ella eran sus ojos grises muy claros. En una poesía Bruno había comparado a esos ojos con el mar. A veces el mar es de un azul intenso, otras es verde esmeralda, otras plateado o azul y jamás gris claro, pero el verso anterior decía "amar" y entonces Bruno no había tenido más remedio que poner "en sus ojos habita el mar".

Otras dos cosas llamativas de Tania era que coleccionaba insectos y que estaba enamorada de Ulises Glup, el mejor deportista del colegio. Ulises Glup —a quien Bruno consideraba bruto, desagradable y casi fuera del género humano—, amaba el fútbol. Así es la vida, que a veces a todos deja insatisfechos.

Bruno caminó un rato, observando dónde apoyaba cada pie, con una mezcla de exceso de cuidado y de asco, y frunciendo el ceño como si

la claridad —que a esa hora no era demasiada—
fuera un castigo para sus ojos.

Al rato encontró a la mayoría de sus
compañeros, sentados sobre una loma.

—Se perdió la pelota de Ulises —le explicó
Tania.

—¿En serio? —se burló Bruno.

—Sí. Le di tan fuerte... —confirmó Ulises—.
Vi que rebotó en varios lugares. Y como estamos
en una cuesta quién sabe adónde fue a parar.

—Qué lástima. Casualmente venía para jugar un rato —dijo Bruno—. Y bueno, mientras los
demás leemos o paseamos, Ulises puede entre-
tenerse cabeceando una piedra.

—¡Ay, qué tipo! —se quejó Tania—. ¿Por
qué siempre tiene que decir cosas desagra-
dables?

Sin embargo, a Ulises no le pareció una
propuesta tan mala:

—¡Buena idea, Bruno! —gritó Ulises. Eligió
una piedra y enseguida armó un partido con los
mellizos García y con Xing Xu, el coreano, siempre dispuesto para los deportes.

—¡No lo puedo creer! —exclamó Bruno y
luego, acercándose a las chicas dijo:

—¡Qué bonita mañana!, ¿no? ¡Amo la
Naturaleza! Esa arenilla que el viento mete en
nuestros ojos, esos graznidos de los pajarracos
y...

—¿Eh? ¿Qué dice? —preguntó Andrea N.
Filipelli—. ¿Bonita mañana? ¡Es la tarde!

—Sí, casi de noche —reafirmó Andrea K.
Filipelli.

—No le hagan caso, chicas. "Innombrable"
odia estar al aire libre —agregó Tania.

—No es cierto. Ahora mismo estaba buscando hermosos insectos para formar una colección —dijo Bruno.

—¿Insectos? —preguntó Tania, con entusiasmo.

—Sí, insectos: mariposas, hormigas, coleópteros, gusanos asquerosos y todo eso.

—¡Busquemos juntos! —gritó Tania, entusiasmada.

—Sí, busquemos juntos —se animó Bruno.

En ese momento se escuchó el vozarrón del profesor Bernardo llamando a los chicos a preparar la cena.

—¡A comer, chicos!

—¡Maldición! —se enfureció Bruno—. Este tipo me odia.

Capítulo II

El pueblo de Krup parecía vivir una tarde de domingo como cualquier otra: por la calle principal pasaban los jóvenes montados sobre sus hormigas, los vendedores de dulces anunciaban sus productos a gritos, varios niños jugaban en la plaza, una pareja paseaba tomada de la mano, lo de siempre. Nada hacía pensar que de pronto ocurriría algo que cambiaría la vida de todos.

Primero se oyó un zumbido extraño proveniente de las montañas. De inmediato, cuando todos alzaron la vista vieron pasar sobre los techos una inmensa bola, más grande que varias casas juntas. Finalmente sintieron los efectos de una violenta ráfaga de aire que los arrastró como si ellos no pesaran nada, que hizo volar puertas y sillas y apiló contra un muro a cinco carros con sus hormigas y su carga.

El gigantesco objeto desconocido golpeó contra una enorme piedra más allá de las últimas casas, rebotó, y regresó rodando por la avenida principal. Algunos corrieron a meterse en sus viviendas, muchos buscaron refugio en las calles laterales, y otros simplemente se cubrieron la cara entregándose a lo que fuera.

La gigantesca bola fue aminorando la velocidad y se detuvo mansamente en el centro de la plaza junto al monumento que recuerda a la dinastía Urp (Urp I, Urp II y Urp III), que cien años atrás emprendió el viaje del pueblo Krup desde las profundidades de la tierra hacia la superficie y setenta años después lo consiguió.

La bola quedó ahí y fue un niño de los que estaban jugando en la plaza —Rok Larús de once años—, quien dijo:

—¡Es una pelota gigante!

Los vecinos se fueron aproximando con gran cautela hasta formar un círculo en torno a la extraña presencia. Entre repetidas exclamaciones de asombro, tocaban, olían, golpeaban y raspaban a "la aparición" —como comenzaron a llamarla— para ver de qué material era, si tenía alguna leyenda o rastro que indicara de dónde había llegado.

Poco después empezaron a escucharse las opiniones de quienes no aceptaban que eso fuera una pelota gigante. Entre estos, a su vez, se armaron dos grupos de opinión: los hombres que solían verse en la peluquería, para quienes se trataba de un desprendimiento de las estrellas, y los ancianos que solían reunirse en la plaza que interpretaron al fenómeno como un anuncio de los antiguos dioses, enojados porque el pueblo Krup había abandonado las profundidades de la tierra donde había vivido por más de seiscientos años.

Dos horas más tarde todo el pueblo se había congregado allí. Fue entonces cuando Ajhi Larús —padre del niño Rok Larús— hizo un vuelo rasante sobre la parte superior de la aparición.

Ajhi era famoso porque solía volar montado sobre una avispa. Por esa razón era llamado tanto "el loco Ajhi", como "el demente de la avispa", indistintamente.

La paciente tarea de adiestrar a una avispa no había sido nada sencillo. El señor Larús había criado al animal desde muy pequeño, después que toda la familia-enjambre del animal pereciera a causa de una tormenta. Ajhi le proporcionó alimento y le construyó un nido en la terraza de su vivienda y le puso un nombre: "Lore".

En una de esas oportunidades en que le estaba acercando agua para clamar su sed, Ajhi se animó a montar sobre el segundo lomo de la avispa. Lore no pareció ofenderse y él sencillamente se quedó sobre ella un rato.

Repitió la misma operación otras veces y por fin una tarde se atrevió a golpearle suavemente las alas con sus piernas, como indicándole a la avispa que debía volar. Lore salió volando y Ajhi dejó asombrado a todo el pueblo, mientras saludaba a cada vecino desde las alturas.

Claro que después llevó mucho tiempo hacer que la avispa obedeciera sus órdenes. A veces Lore emprendía el vuelo tan rápidamente que Ajhi caía despatarrado al piso; otras, la avispa seguía su vuelo lejos del pueblo sin atender a los gritos y patadas de Ajhi que le exigía regresar de inmediato.

Por todas esas cosas ninguno de los krupianos se había atrevido a montar jamás sobre Lore, excepto su hijo, el pequeño Larús, a quien Ajhi le había prohibido hacerlo debido a la alta peligrosidad de los vuelos. El niño, sin embargo, había hecho un corto vuelo a escondidas de su padre.

Ajhi, ignorando esa desobediencia, le decía a Rok que cuando llegara a la mayoría de edad podría volar, y no sólo volar, sino desarrollar la industria aérea del pueblo Krup, amansar cientos de avispas y aún otros animales voladores: moscas, abejas, abejorros.

—Hijo, llegará un día en que para los hombres de Krup ya no habrá límites. Imagino a la gente volando a través de grandes distancias. Pienso, por ejemplo, que hasta se podría construir un gran vehículo de pasajeros con sesenta o setenta cómodos asientos, impulsado por diez o doce abejorros perfectamente adiestrados en nuestra empresa... —solía decirle el padre.

—¿Es posible algo así? —preguntaba Rok, y antes de que su padre pudiera responderle, ya estaba imaginando semejante adelanto: ¡Claro que es posible! ¡Y será maravilloso!

Luego de sobrevolar la aparición Ajhi descendió como hipnotizado. Quienes lo rodeaban le oyeron decir:

—Tiene razón mi hijo. Es una pelota de fútbol. Y eso quiere decir que... ¡en algún lugar hay otra civilización de gigantes!

—¡Oh! —se asombró la multitud.

—...Es decir, no somos los únicos habitantes de este mundo. Debo detener mis experimentos con animales voladores y dedicarme a buscar a esa civilización. La historia me pide que asuma ese reto...

Aquella noche Rock Larús debió irse a dormir temprano —su padre era muy severo con esas cosas— pero tardó mucho en cerrar los ojos.

Permaneció un largo rato pensando en el mundo de aquellos gigantes que se divertían jugando al pie-gool con un balón de ese tamaño. El pie-gool era el deporte más popular de Krup. Se jugaba con dos equipos de cincuenta jugadores, con tres balones y dos arcos.

Rok era un buen dibujante y había aprendido a hacer figuras en escala. Sentado en la cama dibujó un hombre de Krup al lado de una pelota sesenta veces más grande. Si la pelota mantenía esa proporción respecto a los hombres de Krup, pensó, los gigantes debían medir por lo menos 400 veces más.

¿En qué descomunal estadio podían tener cabida los cien jugadores de pie-gool, los tres balones y los arcos? ¡¿Y el público?! Los mil o dos mil gigantes que mirarían los partidos desde afuera ¿en qué increíble estadio podían caber? Y el palo donde cada uno de esos espectadores ataba su hormiga en la que había llegado al estadio ¿cómo era de extenso? ¿Y las hormigas? Las hormigas debían tener un tamaño enorme, como para que los gigantes pudieran montar sobre ellas.

Rok imaginó hormigas proporcionales al tamaño de los gigantes. Pensó en hormigas con una altura suficiente para permitirles llevar en su lomo a un gigante. ¿Cómo harían los gigantes para domar a animales así? ¿Habría entre ellos un "Ajhi Larús" capaz de volar sobre una avispa increíblemente grande? Si era así, la fuerza de los gigantes debía ser mayúscula, imposible de imaginar.

Cuando por fin consiguió dormirse, soñó que él se perdía en la tierra de los gigantes, y que un grupo de hormigas, cien veces más grande que las conocidas, lo perseguían para comérselo con sus terribles bocas-tenazas. Despertó transpirado, muerto de miedo. Sin embargo, se animó a buscarse un vaso de agua y, una vez calmado, se dijo:

—No somos los únicos habitantes de este mundo. Hay que hacer algo. Hay que organizar una expedición en busca de la tierra de los gigantes... No entiendo cómo mi padre con lo loco... quiero decir, con lo dispuesto que es para las aventuras y para investigar lo desconocido, no partió aún hacia la tierra de los gigantes...

Capítulo III

Habían transcurrido dos horas desde que todos se habían acostado, y Bruno el innombrable seguía sin poder pegar los ojos. Los mellizos García habían discutido una hora porque los dos querían el mismo rincón de la carpa, y luego se habían dormido casi simultáneamente. Bruno había probado con leer, pero estaba demasiado cansado para eso, así que daba vueltas y vueltas y seguía despierto.

Al fin juntó coraje, se puso la campera, agarró la linterna y salió a la noche.

Al centro del círculo que formaban las carpas permanecían encendidas algunas brasas de la fogata que habían preparado sus compañeros para la cena. Aunque no había viento y la noche era clarísima, hacía un frío de mil demonios. Pero los demonios dan idea de calor, pensó Bruno, así que un escritor como yo debería decir "un frío de mil... antártidas" o algo así.

Pero mejor no nombrar al demonio ni siquiera mentalmente, si es que quiero permanecer unos minutos fuera de la carpa, se dijo. Tania. ¿Cuál era la carpa de Tania? Era una azul con sobretecho amarillo. Claro, tenía que ser ésa donde habían dejado el farol encendido colgado de un palo. Terror a la oscuridad. Tania y sus amigas debían tener miedo y por eso dejaban el farol encendido.

Bruno se acercó lentamente, tratando de no hacer ruido. Cuando estuvo a unos pocos metros escuchó voces. Tania y sus compañeras de carpa estaban hablando. Trató de escuchar:

"Es pesado, insoportable", escuchó que decía Filipelli Andrea N.

"Innombrable insoportable... ¡oia! ¡rima!", agregó Filipelli Andrea K. (no eran parientes pero se llamaban igual y eso había creado confusiones administrativas en el colegio desde el primer grado). Las tres rieron y a Bruno se le estrujó el corazón, se le anudaron los intestinos y se le retorcieron las vías respiratorias impidiendo la entrada de aire.

"A mí tan mal no me cae —dijo Tania. Los ojos de Bruno se agrandaron, el aparato respiratorio volvió a su funcionamiento normal, los intestinos se desanudaron y el corazón volvió a marchar—. Pero es cierto que es feo, antipático y nada deportivo —agregó Tania. Bruno tuvo que sentarse. Se sentía mareado—. No sé, algo tiene... debe ser la mirada..."

"¿Qué mirada? —era Filipelli Andrea K.— Si a veces usa esos horribles anteojos... ¡y ese pelo colorado!"

"Es el peor de todo el grupo. Nadie lo quiere" —sentenció Filipelli Andrea N. Las tres rieron.

—Sí...

¿Era Tania? ¿Tania había dicho que "sí", que nadie lo quiere?

Bruno se apartó de allí para no oír más. Se sentía mareado y débil pero su necesidad de ale-

jarse era mayor que ese vacío en el estómago que lo hacía caminar casi tambaleando.

Anduvo casi dos horas sin el menor interés por el rumbo que tomaba.

"Me tendría que ir, tendría que escapar, viajar a otro país..." se decía, al borde del llanto. "Soy algo espantoso. Me desprecian. Debería tratar de ser parecido a Ulises Glup: fuerte, alegre, descerebrado, amante de los deportes. Tendría que hacer gimnasia para tener músculos inmensos, teñirme el pelo, usar lentes de contacto verdes, comprarme zapatos con tacos para parecer más alto. O ponerme siliconas en los bíceps y tríceps, como Silvester Stallone. ¿Y si me voy de polizonte en un barco carguero? Podría limpiar la cubierta o trabajar de grumete. ¿Todavía habrá grumetes en los barcos o eso era en la época de Colón? Me podría ir y regresar a los diez años, fuerte, millonario, con cierto acento extranjero al hablar, tostado, con un ancla tatuada en el brazo y... Dios mío, no le gusto a Tania..."

Poco después vio pasar un camión a lo lejos y pensó que debía faltarle poco para la ruta. Como caminaba por el campo en medio de la oscuridad, cada tanto se caía aunque en su actual estado de ánimo eso no importaba demasiado.

Al fin llegó a la ruta y caminó en dirección a unas luces que se veían a lo lejos. Llegó hasta ese lugar media hora después: era una estación de servicio donde había un par de camiones detenidos. Tres enormes perros salieron a su encuentro con ladridos desganados. Cuando estuvieron a su lado lo husmearon y enseguida volvieron a echarse bajo una galería.

—Me iré con un camionero. Así empezará mi vida lejos de Tania.

Dos camioneros panzones y grandotes estaban de pie ante la barra del bar de la estación de servicio. Cuando Bruno entró, el hombre que atendía lo miró asombrado y enseguida los dos grandotes se volvieron para mirarlo. A su vez el chico los miró un poco atemorizado y sin pensarlo demasiado se dirigió a un rincón para sentarse en una silla de madera que hizo un extraño ruido de recibimiento.

Bruno observó el bar y se quedó con una buena impresión: jamás había visto un lugar más sucio. Las tres mesitas de madera parecían tener mil años. Las paredes, descascaradas, dejaban ver sucesivas capas de pintura de colores chillones, y estaban adornadas con viejos almanaques con mujeres desnudas y coches de carrera: Airton Senna, Schumajer, un desconocido, Fangio, otra de Senna, otro desconocido.

Mientras Bruno continuaba inspeccionando el local con la mirada, los tres hombres murmuraron algo y luego rieron con fuertes carcajadas.

Después el dueño del bar cruzó todo el salón a grandes zancadas. Sin dejar de mirar a Bruno salió al exterior abriendo la puerta de una patada. Afuera, miró a un lado y al otro y al no ver ningún auto regresó y se plantó ante el chico.

—¿Qué pasa? —le preguntó.

La pregunta desconcertó a Bruno porque no entendía qué tipo de respuesta esperaba el hombre.

—¿Cómo qué pasa? —preguntó a su vez, balbuceante.

—Sí. ¿Qué estás haciendo aquí? ¿De dónde saliste? ¿Cuál es tu nombre? No hay ningún auto ¿quien te trajo?

—Vine a... y me llamo...

Los dos camioneros, al fondo, volvieron a reír.

—Sí... decías que viniste a... —se impacientó el hombre.

—...tomar una coca...

—¿A esta hora? ¿Dónde están tus padres? ¿Por qué estás tan sucio? ¿Y qué te pasó que estuviste llorando?

Al parecer el hombre siempre hacía las preguntas por cantidades. Y nuevamente Bruno no sabía cuál de ellas contestar. Mientras se decidía vio acercarse a su mesa a los camioneros. Eran altísimos y con enormes panzas. A pesar del frío uno vestía una camiseta musculosa y el otro una remera liviana. Los tres rodearon la mesa. Bruno se sintió pequeñísimo.

—¿Te dejó tu novia? —preguntó uno de los camioneros y otra vez volvieron a reír como si fuera el mejor chiste del mundo. Pero increíblemente de la boca de Bruno salió esta respuesta:

—Sí.

Los tres hombres se quedaron con la boca abierta.

—¿Cuántos años...? —volvió a preguntar el dueño del bar y antes de que agregara otras dos preguntas, Bruno se apuró a decirle:

—Once.

—Once... y lo dejó la novia... —dijo con su voz cavernosa uno de los camioneros y, como si lo tuvieran ensayado, él y su compañero se sentaron junto a Bruno, uno a cada lado, al mismo tiempo.

—¡Dos cervezas y una coca, Manuel! —ordenó uno de ellos y pasó a las presentaciones—. Yo soy "Volvo" y a él le dicen "Skania".

—Son marcas de camiones —dijo Bruno.

—Es un chico muy inteligente —observó Volvo.

—Me llamo Bruno Wrokitzkiewitzs.

—Me gustan esos apellidos difíciles ¿será porque me llamo Juan Pérez? —comentó Skania. Ahora también Bruno se sumó a las risas, y rió a carcajadas, con toda la boca y todo el cuerpo, porque de pronto sintió el placer de reír como lo hacían los dos hombres, a lo bestia.

Habían pasado varias horas cuando Volvo empinó la cerveza número catorce o quince y dijo:

—Y ahora voy a contarte cómo sufrí cuando me dejó otra novia que tuve a los quince o dieciséis años. Se llamaba Alicia... o Patricia... o Leticia... no me acuerdo bien. Lo que sí recuerdo es que me subí a un árbol y lloré siete horas seguidas...

Volvo pidió otra cerveza con una seña y siguió con su triste historia, que debía ser la cuarta o la quinta. Todas eran parecidas: primero él se enamoraba de una chica; luego la conquistaba; después salía con otra que le gustaba más y finalmente las dos lo abandonaban a él y él sufría como un loco. El ciclo parecía repetirse dos o tres veces por año.

Por su parte, Skania también contó varios episodios tristes sólo que los suyos tenían otra característica: siempre se enamoraba de una chica bellísima y ella lo despreciaba, y siempre una amiga de la chica —feísima— se enamoraba de él.

Bruno escuchó con muchísima atención porque todas las historias eran tan tremendamente tristes y tenían detalles tan vergonzosos para ellos, que daban risa. Incluso en medio de la larga noche de historias tristes estuvo tentado de inventarse otra historia, más trágica que la verdadera, para poder contar él también lo suyo y hacer reír a los dos camioneros.

Hasta que en cierto momento vio a través de la ventanita del bar que empezaba a amanecer. Se despidió entonces de sus amigos:

—No sé bien qué, pero me parece que algo aprendí...

—Claro —dijo Skania.

—Por lo pronto no estoy triste. Hasta... no sé, es raro, estoy medio contento...

—¡Y eso que no tomaste las cervezas que tomamos nosotros! —dijo Volvo. Los tres rieron tan estruendosamente que el dueño del lugar, que ahora dormía con la cabeza apoyada en la barra, se despertó dando un respingo. Bruno pensó que había algo muy agradable en reírse exageradamente hasta de los chistes malos.

—A veces se gana y a veces se pierde —dijo Volvo poniéndose serio.

—Pero uno tiene que intentar ganar siempre —agregó Skania.

—Eso debe ser lo que aprendí esta noche —dijo Bruno y con cierta gravedad les tendió la mano a cada uno. Recibió dos apretones tan fuertes como jamás hubiera imaginado. Pensó que sus padres no encontrarían en el mundo al kinesiólogo capaz de rehabilitarle la mano como para con ella volver a escribir, aplaudir, peinarse o hacer cualquiera de las cosas que suele hacer una mano. Pero se la aguantó: hasta en eso había algo lindo.

Después salió y desde la puerta volvió a saludarlos.

Algún día será un triunfador como nosotros —dijo Volvo.

—Claro, es un muchachito de lo más inteligente —reafirmó Skania.

Capítulo IV

En la madrugada posterior a "la aparición", Ajhi Larús partió en busca de la Tierra de los Gigantes.

Primero había pensado en que semejante aventura, que sin duda cambiaría para siempre la historia del pueblo Krup, merecía más organización. Pero luego, impaciente por conocer ese nuevo mundo, sencillamente llamó a dos vecinos y despertó a su propio hijo y partió en caravana, con cuatro hormigas destinadas a transporte individual y otras cuatro que cargaban alimentos y agua potable.

Para lograr su objetivo Ajhi contaba con una única idea: seguir, en sentido contrario, la trayectoria de la gigantesca pelota de pie-gool caída la noche anterior. De esa manera, por lejano que fuera ese destino, en algún momento encontrarían la Tierra de los Gigantes donde fue pateada esa bola.

Además de Ajhi y su hijo, formaban la expedición el experto en civilizaciones desconocidas Ryn Pif, y la profesora Dori Bof de Fer Pich, estudiosa de la ciencia de los terrenos, los seres verdes y los seres móviles.

Todos estuvieron de acuerdo en que el acercamiento a la Tierra de los Gigantes tendría que ser extremadamente cauteloso. Al principio sería mejor observarlos y no hacerse ver, por lo menos hasta estudiar cómo se comportaban, si sólo eran seres móviles o además tenían inteligencia y lenguaje, etcétera.

En caso de que cualquiera de los expedicionarios cayera en manos de los gigantes por ningún motivo debía rebelar dónde está situado el pueblo de los Krup. Era preferible la muerte antes que permitir que los gigantes atacaran el pueblo.

Para el pequeño Larús, formar parte de una expedición como esa era lo más maravilloso que podía ocurrirle. En su mochila llevaba un cuaderno para tomar nota de cuantas cosas raras pudiera presenciar.

Su padre había optado por no llevar a la dichosa avispa por temor a posibles conflictos con las hormigas —que se asustaban ante ella— y con los demás expedicionarios, a quienes les parecía descabellada la idea de volar.

Seguir la trayectoria que le habían visto describir a "la aparición" no era nada sencillo. Después de caminar media jornada por un terreno más o menos normal, el suelo comenzaba a elevarse. Hasta donde alcanzaba la vista, ahora que amanecía la tierra continuaba subiendo. Eso le hizo decir al profesor Ryn Pif que seguramente había un punto en que la tierra se convertía en cielo.

—Está loco —lo contradijo Ajhi, que no era el rey de la diplomacia—. La tierra es cuadrada y flota en medio del cielo, que es como un mar de aire. Sólo debemos cuidarnos de no llegar al borde de noche porque podríamos caer al gran precipicio del cielo.

Los krupianos, con tan poca experiencia en la superficie terrestre, casi no habían explorado los alrededores e ignoraban casi todo sobre los seres y las cosas existentes más allá de las montañas. Las pocas expediciones que se recordaban habían regresado desmoralizadas después de subir y subir, sin llegar nunca a la cúspide de las elevaciones, o después de haber sido atacados por seres móviles desconocidos.

Cuando Ajhi vio que las hormigas comenzaban a cansarse y que de ahí en más el suelo se hacía casi intransitable, ordenó hacer un alto.

Caminar al lado de Dori Bof de Fer Pich fue un verdadero suplicio para Rok porque la mujer no perdió oportunidad de demostrar cuanto sabía: que aquella piedra se llama así, que esa otra sirve para tal cosa, que aquel ser verde da sus frutos cada tanto tiempo, que eso que parece una hormiga no se llama hormiga.

Rok, que estaba ansioso por vivir aventuras, peripecias y peligros, empezaba a impacientarse. Se sentó debajo de un trébol y trató de descansar.

Poco después sucedió algo terrible.

Ajhi le pidió a Rok que lo ayudara a juntar leña, ya que por ahí abundaba y tal vez más adelante no hubiese. Mientras el profesor Ryn y Dori, extenuados, dormían a la sombra de una piedra, Rok y su padre caminaron hacia el sitio donde habían visto leña.

Ya se habían alejado bastante cuando a Rok se le ocurrió trepar a un ser verde, cuatro veces más alto que él, que remataba en una gran flor amarilla. Jamás había visto en Krup nada parecido.

Al llegar a la cúspide del ser verde, Rok sintió que algo pegajoso y flexible se adhería a él. Era una especie de tela transparente de gran resistencia. A medida que se esforzaba por desprenderse de ella y hacía movimientos desesperados con sus brazos, más atrapado quedaba en esa tela repulsiva.

El niño comenzó a gritar y Ajhi pensó en trepar por el tronco de la flor para ir en su ayuda, pero de pronto vio algo que lo espantó:

—¡Un monstruo!

Acababa de ver a un ser horrible: tenía un cuerpo oval cubierto de pelos negros al igual que sus seis patas, cada una de las cuales duplicaba en extensión a un hombre de Krup. La cabeza tenía dos ojos indiscutiblemente asesinos y una enorme boca con forma de pinza, capaz de tragarse a un krupiano sin dificultad.

Lo peor de todo era que ese ser espantoso se desplazaba sin inconvenientes sobre la fina tela que se extendía entre la flor amarilla y una gran roca negra.

—Se lo... comerá —murmuró Ajhi.

Enloquecido, el hombre extrajo un cuchillo de su cintura y se lanzó sobre la tela cortando los hilos que nacían en la piedra. El monstruo quedó colgando de la tela y comenzó a ascender hacia Rok. Ajhi tomó entonces una piedra y se la arrojó dándole en plena cabeza. Pero desgraciadamente el golpe no le hizo daño: sólo lo enfureció. Ajhi vio que abría su horrenda boca y que apuraba el ascenso hacia Rok.

Ajhi corrió hacia el tronco dispuesto a trepar y luchar contra el monstruo, pero se detuvo al escuchar el ruido, mejor dicho, la voz, más potente que hubiese oído jamás:

—¡Unara ñapeluda! —creyó escuchar Ajhi.

Al volverse, Ajhi vio algo que aparentaba formar parte de la peor pesadilla: una cabeza descomunal, del tamaño de cincuenta o sesenta hombres de Krup. Tenía el pelo rojizo y cantidad de enormes manchas marrones en la piel. El dueño de esa cabeza era un gigante, un ser inimaginable, acaso un niño gigante.

—Melavoy alle varpara ¿quesoqueses tapor comer? Perosi —dijo esa incomprensible y potentísima voz—. ¡Pare ceunhom brecito! Unni ñopeque ñísimo...

Con extraordinaria facilidad el gigante arrancó una planta como no hubieran podido hacerlo ni entre veinte krupianos fuertes. Después utilizó esa planta para pegarle al monstruo que había llamado "arania", "aracña" o algo así, arrojándolo muy lejos. Finalmente cortó las telas que rodeaban a Rok y, sin hacer caso a los gritos del niño, o no escuchándolo porque la diferencia de volumen de las voces era descomunal, lo tomó con la punta de sus gruesos dedos y lo introdujo en el bolsillo de su camisa.

—¡Se lo lleva! —exclamó Ajhi—. Lo salvó del monstruo pero se lo lleva. ¿Cómo recobraré a Rok? —sollozó—. Volveré a nuestro pueblo a buscar a la avispa. Sólo con ella podré seguir los pasos de ese gigante...

Capítulo V

"¡No tengo que darme por vencido! ¡A veces se gana y a veces se pierde! Pero siempre hay que luchar...", volvió a decirse Bruno mientras avanzaba por el campo apurado por temor a que los profesores se levantaran temprano y notaran que él no estaba en su carpa.

"Una cosa que podría hacer, por ejemplo, es encontrar un insecto desconocido, algún bicharraco que sorprenda a Tania".

Y puesto que igual tenía que ir por ese lugar se le ocurrió prestar atención, a ver si encontraba algún ejemplar de interés. Sin embargo, a esa hora daba la impresión de que todo el reino animal dormía salvo algunos pájaros.

Finalmente olvidó todo lo que se había propuesto porque reparó en el paisaje. No es que repentinamente disfrutara del paisaje, mucho menos después de haber pasado toda la noche sin dormir y sufriendo el intenso frío de esa hora. En realidad le interesó el paisaje por la utilización que podría darle en un cuento o una novela. Pensó que tal vez nunca más en la vida se atreviera a andar por un lugar tan desagradable, de modo que lo mejor sería olvidar algunos detalles.

Sin dejar de andar sacó la libreta del bolsillo y anotó ciertas cosas que podrían resultar llamativas. Por ejemplo, casi en la cúspide de la sierra se veía el bosque donde habían acampado. Hacia donde estaba él el terreno descendía suavemente por varios kilómetros y era interesante imaginar qué podía ver más allá, en el centro de esa hondonada.

"¿Será esto un desierto?", se preguntó. Trató de evocar en qué clasificación del libro de geografía encajaría ese lugar pero le fue imposible recordarlo. Quizás fuera un lugar único, no visitado jamás por quienes escriben manuales de geografía.

Subió trabajosamente unos trescientos metros más y luego se sentó sobre una piedra porque las piernas ya no le respondían. Allí anotó algunas cosas más: la sensación del amanecer era hermosa: difícil de admitir, pero en verdad era algo increíble la salida del sol; anotó también la curiosa visión de una formación de nubes trasparentes e inmóviles y describió la forma de los pétalos de una bonita flor amarilla que estaba a unos metros de donde se había sentado.

Observó con más detenimiento que el tallo de la flor estaba unido por una malla de tela de araña a una piedra violeta. Se acercó un poco y de pronto vio a la araña:

—¡Una araña peluda! —exclamó, aterrado.

Después vio a la araña que avanzaba lentamente hacia la flor, en dirección a un insecto que había quedado atrapado en su tela, y se interesó más en el asunto.

"Esto puede ser de mucha utilidad, pensó Bruno. Le llevaré esa espantosa araña a Tania y de paso veré cómo atrapa a ese otro insecto. Seguro que lo hará pasar por sufrimientos horrendos, después lo envenenará y se lo ofrecerá como comida a sus pichones. Es un material interesantísimo para escribir, por ejemplo, un cuento de terror..."

Arrancó una plantita reseca y la empuñó como para maniobrar con la araña.

—Me la voy a llevar... —empezó a decir, pero de pronto algo le hizo abrir enormes los ojos, como si estuviera loco—. ¿Qué es eso que se está por comer? Pero si ¡parece un hombrecito! Un insecto que parece un niño pequeñísimo. ¿Estoy loco? Si los que tomaron cerveza fueron Volvo y Skania. ¿Qué es eso?

Acercó su cabeza para ver mejor y lamentó no llevar con él una lupa, como había aconsejado en su momento el profesor Bernardo. Temblando dirigió el palito hacia la araña y le dio un sacudón, enviándola muy lejos. Dspués se acercó más y vio que el hombrecito continuaba pegado a la tela.

Con la punta de los dedos tomó la tela y cuidadosamente sacó al hombrecito que quedó pendiendo de su mano. Lo metió en el bolsillo de su camisa y corrió hacia el campamento.

"Tania no lo podrá creer. Es el insecto más extraordinario que se haya descubierto. Hasta se parece a un ser humano. Me haré famoso. Tania me acompañará a los canales de televisión. Incluirán fotografías nuestras en los libros escolares...", se dijo Bruno mientras corría.

Llegó agitado al campamento y fue derecho a la carpa de Tania. Cuando estaba junto al farol, que seguía encendido, recordó lo que había escuchado durante la noche y volvió a entristecerse.

Se quedó allí detenido unos segundos y luego apagó el farol, para que Tania no desperdiciara gas. Pensó que despertar a Tania a esa hora ¿serían las seis de la mañana? no era la mejor idea y que lo más aconsejable era irse a dormir. Ya vería a la mañana qué era lo más conveniente.

Enfocó con la linterna el interior del bolsillo y le pareció que el pobre chiquitín estaba asustadísimo. Estuvo a punto de dejarlo en libertad. Hasta se agachó como para dejarlo salir del bolsillo al suelo, pero luego resolvió que por lo menos lo retendría medio día, hasta mostrárselo a Tania.

En el mayor silencio entró a la carpa, se quitó el pantalón, lo colgó cuidadosamente de un parante, y se metió en su saco de dormir. Estaba muerto de sueño pero aun así tardó un poco en dormirse porque se detuvo a pensar en el insecto-niño. ¿Tendría frío? ¿Hambre? ¿Qué puede comer un ser así? ¿Y Tania? ¿Cómo reaccionaría al ver ese ejemplar increíble? Se haría famoso, sí. Todos los del campamento le pedirían que los llevara hasta el lugar donde había atrapado a ese insecto maravilloso...

Capítulo VI

Ajhi Larús llegó jadeando a su casa y con las últimas fuerzas trepó la escalera que lo llevaba a la terraza. Había caminado y corrido sin descansar, ayudado por la pendiente de la montaña. Se dirigió al nido donde debía estar durmiendo la avispa, pero con horror vio que Lore no estaba. Miró a un lado y a otro y hasta se introdujo hasta el fondo del nido sin otro resultado que desesperarse cada vez más.

—¡Debí dejarla atada! Soy un necio. Justo ahora que la necesito... ¡Lore! ¡Loreeee!

Exhausto, vencido, se sentó en el piso de la terraza y lloró con la cabeza entre sus brazos.

—¿Cómo recuperaré a mi hijo? —se preguntó varias veces—. Es lo único que tengo en la vida, lo que más quiero.

De pronto escuchó un zumbido que le era familiar... ¡Lore! Sólo que al mirar hacia allí observó que la avispa no venía sola.

Lore parecía saludar a Ajhi, pero a su lado, suspendido en el aire con un aleteo casi invisible, había un avispón bastante más voluminoso que ella y con expresión de pocos amigos.

—¿Es... es... tu es... poso? —preguntó Ajhi descontando, claro, que una avispa pudiera contestarle. Pero luego recordó lo de Rok y se abrazó a la cabeza de Lore, diciéndole: —¡Estoy desesperado, Lore! Los gigantes tienen a Rok. Tengo que ir a buscarlo, tienes que llevarme.

Dicho eso, Ajhi saltó sobre el lomo de la avispa y tiró de sus antenas ordenándole salir a toda velocidad. Al ver eso el avispón se puso colorado, como si estuviera a punto de estallar de rabia. Iracundo, abrió más grandes sus enormes ojos y se lanzó sobre Ajhi. Con un golpe de sus patas lo arrojó a un costado, se paró sobre él, sujetándole brazos y piernas, y preparó su enorme aguijón para atravesarlo.

La avispa debió comprender el malentendido de su flamante marido porque se·arrojó entre ambos. Con insistentes zumbidos pareció interceder ante el avispón, dándole mil explicaciones. El avispón por momentos parecía tranquilizarse pero cada tanto volvía a reiniciar los movimientos de ataque sobre Ajhi.

Al fin pareció ganar la pulseada la avispa Lore y el avispón echó una última, furibunda mirada sobre Ajhi, y se largó a volar.

Ajhi se incorporó, se secó el sudor de la frente y montó sobre Lore.

—¡Vamos, Lore! ¡Rápido, querida, que mi hijo nos necesita! —ordenó Ajhi, palmeándole la cabeza con dulzura.

Volando a toda velocidad a Ajhi no le costó demasiado llegar hasta la flor amarilla. A partir de allí hizo que Lore volara bajo siguiendo las enormes huellas del gigante que había raptado a su hijo.

Poco después llegó a la cúspide de la montaña, que por supuesto no terminaba en el cielo

como decía Ryn Pif, sino en ¡la ciudad de los gigantes! Nadie en Krup hubiera imaginado jamás semejante cosa: había una raza de gigantes y vivían allí, bastante lejos para un krupiano que hiciera el trayecto caminando, pero muy cerca para un medio de transporte súper moderno como una avispa.

Ajhi sobrevoló la enorme extensión donde iban y venían gigantes, sin dejar de asombrarse por los árboles inmensos que rodeaban a sus casas, las extrañas y rústicas viviendas de telas con colores chillones, y algunos objetos o máquinas por completo desconocidas.

Miró con detenimiento dónde podrían tener a su hijo, si es que todavía no se lo habían comido, pero con pesar comprendió que los lugares donde se podía esconder a un ser normal entre cosas tan grandes eran infinitas.

Los gigantes entraban y salían de unas casas del color de las flores amarillas o del color del cielo al atardecer, con gigantescas cosas en sus manos. Ajhi reconoció utensilios parecidos a los que los krupianos usan para comer, aunque de tamaños increíblemente grandes.

Algunos gigantes estaban acostados sobre la tierra y otros permanecían sentados ante una pira de leños gigantescos, equivalente a un incendio capaz de destruir a toda la ciudad de los Krups.

En uno de sus vuelos rasantes Ajhi pudo ver cómo uno de ellos aplastaba con su mano —quince veces el tamaño de un krupiano— a un pobre ser móvil volador que se había posado sobre su hombro. La visión del ser móvil aplastado dio náuseas a Ajhi.

—Son seres asesinos, criminales, monstruos con los peores instintos —le dijo a la avispa Lore como si ella pudiera entenderlo.

Su objetivo era detectar dónde estaba ese gigante de pelo rojizo y manchas marrones en la cara que se había llevado a Rok en su bolsillo.

Finalmente decidió que lo más inteligente sería introducirse en cada una de las viviendas. Logró meterse en dos que encontró vacías aunque en otras tres no halló resquicio por donde pasar. Pero tuvo suerte porque en uno de esos recorridos casi chocó con el gigante que buscaba.

Dio tres vueltas sobre su cabeza hasta comprobar que efectivamente era él. Ese había sido el raptor de Rok, así que decidió seguirlo.

El gigante se acercó a uno de sus pares que, por el aspecto, bien podía ser "una", aunque de todos modos la vestimenta que usaban era muy distinta a los de las krupianas, no sólo por el tamaño. Era difícil distinguir entre ellos a los varones de las mujeres. Los dos gigantes hablaron despacio pero Ajhi no pudo escucharlos porque al intentar acercarse, Lore casi choca con un árbol.

Cuando el gigante se retiró Ajhi lo siguió volando desde muy cerca calculando que el gigante se metería en una de esas ordinarias viviendas de tela. Y así fue. El gigante empujó la puerta y pasó al interior de una de ellas pero fue tan rápido su movimiento que Ajhi, aunque apuró a la avispa, perdió la oportunidad de seguirlo.

El padre de Rok optó por esperar en la puerta así que dio orden a la avispa para que se posara sobre la puerta. Lore obedeció pero si para ella no tenía ningún inconveniente adherirse a la vivienda con sus patas en posición vertical, para Ajhi resultó un verdadero suplicio mantenerse sentado sobre su lomo.

Capítulo VII

No habían pasado más de dos horas cuando Bruno fue despertado por un griterío:

¡Me desperté primero, imbécil! ¡Hace una hora que tengo los ojos abiertos!

—¡Mentira! Vi perfectamente que dormías como siempre, como una marmota. Yo me desperté primero.

Eran, por supuesto, los mellizos. Sólo que Bruno, con tanto sueño, los escuchaba como si estuvieran dentro de su cabeza. Trató de abrir los ojos pero le era casi imposible. Como a través de la niebla vio a los García forcejeando.

—¡Es el pantalón de Bruno, tarado! —gritó uno de ellos.

El oído de Bruno escuchó esa información y de inmediato la pasó al cerebro. En el cerebro se armó una gran discusión entre una parte que decía: "¡No molestar! ¡Todo el cuerpo está cansado! ¡Orden de dormir!", y la otra parte que enviaba una alarma: "¡Atención, atención! ¡Los mellizos están tirando del pantalón! ¡El insecto extraordinario corre un grave peligro! ¡Orden de despertarse!"

Al fin la lucha en el cerebro se decidió en favor de la alarma: Bruno se sentó de golpe y se despertó totalmente al ver que uno estaba por pegarle al otro usando como látigo al pantalón donde estaba el ser pequeñísimo que él había encontrado.

—¡Quieto imbécil! ¡No muevas el brazo ni un milímetro porque te mato! —gritó Bruno. Luego se incorporó, tomó el pantalón suavemente y lo quitó de las manos del mellizo, lo llevó hasta el rincón de la carpa y volvió a colgarlo cuidando que el bolsillo quedara hacia arriba.

—No sabíamos que cuidabas tanto la ropa —dijeron a dúo los mellizos.

Los García terminaron por levantarse, aunque continuaron discutiendo por los más diversos motivos a unos metros de la carpa. Bruno intentó volver a dormir y lo logró, pero poco después se asomó el profesor Bernardo:

—¡Vamos Bruno! ¡Arriba! ¡No puede ser que seas tan dormilón! Ya se han levantado todos. ¿Será posible que siempre des la nota? Son las once. ¡Es un día bárbaro! Hay... ¡sol!

—¡Siempre hay sol! Pero por suerte a veces lo tapan las nubes...

—Bah...

Cuando el profesor se fue, Bruno resolvió cubrirse la cabeza e intentar dormir. Pero una conversación que escuchó en las cercanías hizo que permaneciera atento:

—¿Qué le pasa? —era la voz de la profesora Lana.

—Ese chico es insufrible ¿por qué no se quedó en su casa? —decía Bernardo.

—Tendrá sueño... —le respondió Lana.

—¡Hace doce horas que duerme!

—Y bueno... los artistas son así. A lo mejor a la noche no pudo dormir y se quedó leyendo.

—¡No lo soporto!

—A mí me cae bien.

"¡Bien, Lana!" —gritó para sus adentros Bruno. Esa chica era increíble, la mejor profesora de educación física del mundo. Era inteligente, hermosa, especial, elegante, buena onda, piola, lindas piernas, dulce, agradable... lástima que le llevaba... unos quince años. Si alguna vez se casaban ella cumpliría treinta y cinco cuando él tuviera veinte.

—Vas a ver que se levanta a las dos o tres de la tarde. Es un desastre. Dormirá todo el día —dijo Bernardo—. Te apuesto lo que quieras...

"¡Qué desgracia!", se dijo Bruno, "después de escuchar eso no puedo dejar de levantarme".

Cuando salió fuera de la carpa sus ojos casi estallaron al entrar en contacto con el furioso sol de ese día. Se lavó la cara en un fuentón con agua helada y dudosa y luego buscó a Tania en las inmediaciones. La encontró lavando verduras para la comida del mediodía.

—Tengo algo increíble para mostrarte. ¡No lo podrás creer! Es maravilloso, nunca visto...

—Uf... estoy ocupada, Bruno. A mí me toca lavar las verduras y a Ulises cuidar el fuego. Cuando termine...

—¡No! Tiene que ser ahora...

—No puedo. En un rato termino y me mostrás eso. Pero ¿qué es?

—No, así no. Se trata de un insecto muy especial. Algo jamás visto.

—Me interesa... espero que no sea una simple arañita o un escarabajo. No creo que seas capaz de diferenciar una gallina de una mariposa.

—No, no. Es algo increíble de verdad. Te espero en mi tienda. Ah, necesito un vaso de agua y unas migas de pan...

—¿Un desayuno a tu medida, no?

—No. A medida del ejemplar que te quiero mostrar.

Bruno regresó a su carpa y sacó al diminuto ser del bolsillo, depositándolo sobre una pila de libros. El pobre parecía sofocado y a punto de desmayarse.

—¡Se estaba asfixiando! —se lamentó Bruno.

Para reanimarlo vertió una gota de agua sobre la cara del pequeñito. Después, con todo cuidado, desprendió una a una todas las telas de araña que lo envolvían. Cuando estuvo completamente libre el pequeñito aprovechó que Bruno estaba arrancando migas del pan, y se incorporó de un salto. Al salir corriendo no vio que tras el borde del libro había lo que para él era un verdadero precipicio. Cayó al vacío dando inútiles manotazos en el aire.

Bruno se asustó tanto como él, pero por fortuna tuvo reflejos para estirar rápidamente la mano y alcanzar a tomarlo antes de que se estrellara contra el suelo.

Después lo contuvo en el hueco de su mano y lo acercó a su cara. Se estremeció al ver en el pequeñín una expresión tan... ¡humana! No era un insecto. Era un ser humano de un tamaño extraordinariamente pequeño.

—¡Por favor, déjeme ir! —alcanzó a escuchar que le pedía con una vocecita casi inaudible.

—¿Cuál es tu nombre? ¿De dónde saliste? —le preguntó Bruno, pero su voz hizo rodar al otro que casi se cae de la mano. Repitió la pregunta, ahora en el tono más débil que le salió y espaciando más cada palabra.

—Me llamo Rok —dijo al fin el pequeñín— y pertenezco al pueblo de los Krup.

—¿Dónde está ese pueblo?

—Jamás te lo diría. Si los gigantes se enteraran dónde vivimos...

—¿Qué gigantes?

—Ustedes.

—¿Nosotros? Es cierto, si los de tu pueblo son todos de tu tamaño, nosotros somos gigantes. ¿Cuántos años tenés?

—Doce.

—¿Doce? ¡Yo todavía no los cumplí! Me llamo Bruno.

—Por tu altura pensé que tendrías, no sé, quinientos años o algo así. De manera que soy el mayor de los dos. Deberías obedecerme.

—¡Cuando se lo cuente a Tania!

—¿Quién es Tania?

—Es mi novia...

—¿Qué es una novia?

—Es...

—¿Para tener hijos? ¿A los once años?

—No, no. Bueno, es difícil de explicar. En realidad Tania... es la chica que me gusta...

—Ah, en Krup llamamos a eso "maravilla". Porque cuando un joven se enamora de una chica debe hacer algo que ella considere maravilloso.

—Qué complicado.

—Para proponerle vivir juntos a mi madre, mi padre se convirtió en el primer krupiano que logró volar.

—¿Tú papá logró volar? ¿Inventó un avión? Debe ser un avión en miniatura...

—¿Qué es un avión? No. Mi padre logró adiestrar a un animal volador y voló sentado en su lomo...

—¡Increíble! ¡Maravilloso!

—Eso mismo dijo mi madre.

—Claro.

—Y yo también volé. Un día que mi padre había salido... Bueno, pero ni se te ocurra contárselo a esa Tania. Ningún otro gigante debe enterarse. Sería nuestro fin.

—Pero ya le avisé a Tania que tenía algo extraordinario y...

—Te oí, sí. ¿Yo soy la maravilla que pensaste mostrarle para poder conquistarla? En Krup los niños no se casan. Y ninguno de nosotros pondría en peligro a todo un pueblo sólo para quedar bien con una chica...

—No, no es que quiera casarme con ella. Tampoco entre nosotros hay casamientos de niños. Pero Tania me gusta y a ella le gustan los insectos, así que esta es mi oportunidad.

—¡Yo no soy un insecto!

—Ya sé, pero...

—¡Nada! Si otros gigantes se enteran de nuestra existencia será nuestro fin.

En ese momento Tania se asomó a la carpa de Bruno:

—¿Estás hablando solo?

—¿Eh? Sí, no. No es lo que te parece, es decir, sí, pero no. Yo...

—Bueno, basta. Estoy ansiosa por ver esa cosa tan especial...

—No. Es que... no hay nada de eso. Te pido disculpas, fue una broma.

—¿Una broma? Pero ¡qué estúpido! ¿Me hiciste venir para nada? No lo puedo creer. ¡Y yo que te defiendo cuando otros te criti... pero ¿qué es lo que tenés en la mano?

—¡Nada!

—¡Vamos! Si lo vi ¿es un... muñeco? ¿Es eso lo que encontraste? Lo quiero ver...

—No, no puedo mostrártelo.

Tania se arrojó sobre la mano de Bruno y comenzó a forcejear. El chico se esforzó por impedir que Tania viera al chiquitín, pero no podía cerrar el puño con demasiada fuerza por temor a aplastarlo o asfixiarlo. Al fin tuvo que ceder y abrir la mano: con resignación desplegó lentamente los dedos dejando que Tania pudiera ver.

—Es un lindo muñequito —dijo Tania, tomándolo entre sus manos.

—Sí. Lo encontré tirado por ahí —contestó Bruno, al notar que Rok se había puesto rígido, fingiendo ser un muñeco—. Pero no vale nada. ¿Ves? Es feo, diminuto, ordinario, ni siquiera se mueve (Rok lo miró de reojo, ofendido). Me equivoqué, Tania. Ya podés irte. Te llamé de gusto...

—¡No, no! Me encanta —dijo Tania, incorporándose—. ¿Es para mí, no? ¡Me lo quedo! Quisiste hacerme un regalo y ahora te da vergüenza... Lo que pasa es que, bueno, tu timidez... pero yo sé entender tu verdadera intención...

—¡No! ¡No te lo regalo! ¡No es ésa mi intención! —alcanzó a gritar Bruno, pero ya Tania salía de su carpa.

Capítulo VIII

La paciente espera de Ajhi en la puerta de la vivienda del gigante de pelo rojizo al fin dio su fruto. En cierto momento una mano de gigante sacudió la tela para abrir el orificio de entrada y la avispa —y con ella Ajhi— salió despedida. Era la gigante que salía de allí y, como se detuvo un instante para decirle algo a su compañero, le dio tiempo a Ajhi para meterse en el interior.

Claro que al entrar a toda velocidad montado en la avispa, Ajhi chocó con la enorme nariz del gigante. Para su sorpresa, el gigante se puso a gritar desesperado como si estuviera muerto de miedo.

—¡Un bicho, un bicho repugnante me ataca! —gritó el gigante al tiempo que se tiraba de cabeza bajo una manta que por su tamaño hubieran servido para cubrir medio pueblo de Krup.

Pasó bastante tiempo y el gigante no parecía dispuesto a salir de donde se ocultaba. Cada tanto asomaba la cabeza y, al comprobar que la avispa continuaba volando a su alrededor, volvía a cubrirse. Ajhi sobrevoló el interior de la vivienda con la esperanza de encontrar a su hijo pero por más que detuvo el vuelo de la avispa para observar cada detalle, no encontró rastros de Rok.

La situación parecía no tener fin, hasta que la puerta de la vivienda se abrió y entró otra vez la gigante.

—¡Bruno! —gritó la gigante—. Este muñeco... es... muy extraño... creo que ¡vive! ¡Ay, qué asco!

El gigante al que su amiga había llamado "Bruno" salió de un salto de debajo de las mantas y, sin dejar de cubrirse la cabeza, como si temiera un ataque de la avispa Lore, se acercó a la gigante. Las voces de ambos eran tan potentes que Ajhi pensó que quedaría sordo. Pero de a poco comenzaba a entender lo que decían.

—Sí, es un muñeco muy especial. Es necesario que me lo devuelvas, Tania. ¿Dónde está?

—Antes quiero saber de dónde salió. Lo tengo en una caja, dentro de mi mochila.

—¡No! Se puede morir...

—¿Morirse? Claro, ay, me da un ataque... ¡saquémoslo!

—Sí, pero antes tenemos que matar ese bicho que se metió en la carpa...

Así, los gigantes comenzaron a perseguir a la avispa, blandiendo armas terribles que ellos mismos hicieron al enrollar algo que bien podrían haber sido una tela o papel de enormes proporciones. La avispa Lore, asustadísima, volaba a un lado y a otro, por momentos chocaba contra las paredes de la vivienda, y Ajhi casi no podía mantenerse sobre ella aunque trataba de seguir aferrado a su cuello.

Los gigantes daban tremendos mandobles con sus armas. Algunos intentos pasaban tan cerca de la avispa que el aire desplazado lograba cambiar el rumbo de su vuelo. Lore estaba tan exhausta que en determinado momento cayó al piso, sin fuerzas. Ajhi intentó escapar, pero su pierna quedó aprisionada bajo el peso del cuerpo de Lore.

La gigante se preparó para rematarlos. Levantó su arma bien alto y cuando estaba a punto de hacerla caer con todas sus fuerzas, se escuchó gritar a "Bruno":

—¡Un momento!

El grito fue tan desesperado que la gigante se quedó como paralizada, con el brazo detenido muy cerca de Lore y de Ajhi.

—Es... es otro... de los pequeñitos —dijo con voz desfalleciente el gigante.

—¿Qué? ¿Dónde? ¡No lo veo! Oh, sí... al lado de la avispa ¡Dios mío! ¿Qué es todo esto? —preguntó con un nudo en la voz, la gigante.

Capítulo IX

Tania acercó su rostro a Ajhi y cuando comprendió que se trataba de otro de esos diminutos seres, se quedó mirándolo con los ojos grandísimos y la boca abierta. Luego se sentó en el suelo con gran delicadeza, como temiendo hacer un gesto brusco que pudiera asustar al pequeñito.

—Es igual al otro —comentó Bruno, nerviosísimo. ¿Dónde está el otro?

Tania abrió su mochila y la inclinó despacio para que Rok pudiera salir. Poco después salió Rok, aturdido y tambaleante.

—¡Hijo! ¡Rok, querido! —lo abrazó Ajhi.

—¿Oíste? Es el padre —comentó Tania—. Es increíble lo que estamos viendo.

—No se preocupen —les dijo Bruno, pero con tanta fuerza que los aturdió—. Perdón, no se preocupen —casi susurró—. No les haremos daño... ella es Tania.

—El es Bruno —le explicó Rok a su padre, y a su vez le dijo a Bruno: —Es mi papá, se llama Ajhi.

—¡Tenemos que escapar! ¡Son asesinos! —le dijo Ajhi en el oído a Rok.

—No, creo que son buenos —lo detuvo Rok.

—¡La avispa! ¡Está caída en el suelo! —dijo Bruno.

—¡No la toquen! —ordenó Ajhi—. Sólo está cansada. Cuando se recupere, vendrá sola.

—Si ustedes desean que no le digamos a nadie sobre la existencia de Krup, no lo haremos. Les damos nuestra palabra —les dijo Bruno, con voz muy suave y casi rozando el piso con su cara.

—¡No debiste hablarles sobre Krup! —le dijo Ajhi a Rok, alarmado.

—¡Si no lo hice! No le conté dónde está nuestro pueblo.

—Y nosotros no tenemos intención de decirle nada a nadie. Entendemos que de hacerlo, ustedes correrían muchos peligros —explicó Bruno.

—¿De qué estás hablando? —le preguntó Tania.

—Me refiero a que si se supiera que ellos existen, enseguida vendrían los de la televisión, los turistas, todo el mundo... alguien cobraría entradas, otros harían películas, publicidades, todo eso. Y terminarían encerrados como animalitos. Hasta lo venderían como mascota. Cada persona tendría una familia de krupianos en su casa, encerrados en una jaulita y...

—¡Dios mío! ¡Basta, Bruno! —se asustó Tania.

—Sí, basta... —dijo Rok, asustado.

—¿Tele qué...? —preguntó Ajhi que como buen inventor, comenzaba a interesarse por el mundo de los gigantes.

—Es largo de explicar... —dijo Bruno.

En ese momento se escuchó a Bernardo que llamaba a Bruno y a Tania a cenar.

—¿Tienen hambre? —preguntó Tania y, sin esperar a que respondieran, salió de la carpa. Regresó enseguida con un platito de ensalada y carne asada cortada en trocitos pequeñísimos.

Ajhi y Bruno comieron sentados dentro del plato, con un apetito bárbaro, aunque a Bruno y a Tania les pareció que comían muy poco.

—Si comen tan poquito nunca van a ser grandes —les dijo Tania con tono maternal.

—¡Callate idiota! —la interrumpió Bruno—. Mejor vamos a cenar, si no, Bernardo sospechará que andamos en algo raro y querrá saber.

—Nosotros nos marcharemos ni bien se recupere la avispa —dijo Ajhi.

—¿Y si nos quedamos? Solo hasta mañana, papá... —dijo Rok en tono de ruego.

—¿No es peligroso que viajen de noche? —preguntó Tania—. A nosotros nos gustaría que se quedaran.

—Tal vez sea lo mejor... —dijo Ajhi.

—Pero... ¡los mellizos! Aquí vendrán a dormir los mellizos García... —se preocupó Bruno.

—Entonces, lo mejor será que Ajhi y Rok duerman en mi carpa. Los dejaré en una caja con agujeros para que puedan respirar bien y un pañuelo sobre el que podrán dormir...

—Y también coloquen allí a la avispa... —agregó Rok.

—¡Yo no la toco! —exclamó Tania. Ajhi sonrió, mientras pensaba: "Es increíble, son niños, como Rok. Pero gigantes".

—Y mañana podremos sacarlos de aquí y hablar un poco más sobre cómo viven ustedes y cómo vivimos nosotros —dijo Bruno.

—A él le interesa —explicó Tania—, porque es escritor...

—¡Tania! ¡Bruno! —se escuchó gritar al profesor Bernardo, que acababa de asomarse al interior de la carpa.

Ajhi y Rok se zambulleron debajo de una lechuga.

—Sí, sí, ya vamos —respondió Tania—. Vamos Bruno, vamos a comer...

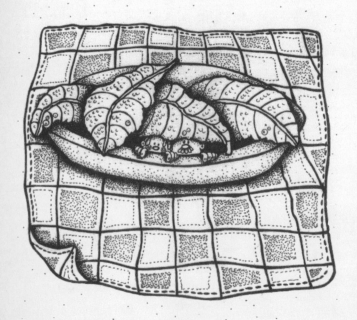

Capítulo X

A la mañana siguiente, Bruno se levantó muy temprano. Tanto, que uno de los mellizos García que lo vio vestirse pensó que estaba soñando y por eso decidió darse vuelta y continuar durmiendo.

Hacía muchísimo frío. Bruno caminó hasta la carpa de Tania y la despertó con un silbido como habían acordado la noche anterior. Poco después salió Tania, con los ojos hinchados y el pelo revuelto. Bajo el brazo llevaba la caja con los seres pequeñitos y en la mano una bolsa con sánguches.

Los dos chicos caminaron unos trescientos metros y recién allí se sentaron. Antes de que Tania levantara la tapa Bruno se puso una mano sobre la caja y dijo con cierto pesar:

—Seguro que no están. Seguro que se fueron y dejaron una carta escrita con letra pequeñísima que tendremos que leer ayudándonos con una lupa. Seguro que se fueron durante la noche porque no confiaron del todo en nosotros o porque les dio miedo que otros "gigantes" los descubrieran. Qué lástima...

Tania se quedó mirando a Bruno y luego comenzó a levantar la tapa de la caja muy, muy lentamente.

—¡Hola! —saludó Rok desde adentro, con su vocecita casi inaudible—. No saben lo que tuve que hablar toda la noche para convencer a mi padre. Se quería ir... ¡él que es un gran científico!

La emoción de Bruno era grandísima.

Los "gigantes" y los "pequeñitos" hicieron pic nic en ese mismo lugar hasta el mediodía. Eran tantas las cosas que cada uno quería saber sobre el mundo de los otros que las preguntas y las respuestas se mezclaban.

Bruno y Tania les contaron qué es el cine, cómo funcionan los automóviles, qué se estudia en las escuelas, qué lugares del cosmos visitaron los astronautas, cómo se divierten los niños, qué es un teléfono, cómo son los estadios de fútbol, cómo se produjo la Segunda Guerra Mundial, quién fue Cristóbal Colón.

A su turno, Rok y su padre relataron cómo había sido la vida del pueblo Krup en las profundidades de la tierra según se cuenta en los libros antiguos; cómo fue la epopeya de la dinastía Urp que un día emprendió la marcha hacia la superficie; cuáles son los bailes preferidos por los krupianos; cómo el año está dividido en cuatro estaciones: la del calor, la de las hojas secas, la del frío y la de las flores; cómo se juega al piegool; cómo hizo Ajhi para convertir a la avispa Lore en un animal de transporte aéreo; de qué murió la madre de Rok cuando él tenía sólo tres años; cómo es de pesada Dori Bof de Fer Pich.

Bruno y Tania prometieron no contar nunca sobre la existencia de los krupianos para dejar que ellos mismos decidieran cuándo darse a conocer entre los "gigantes". No obstante Bruno dijo que alguna vez escribiría una novela sobre seres parecidos a los krupianos, aunque ubicaría la historia en otro punto del planeta, para que nadie pudiera encontrarlos a partir de los datos del libro.

La despedida fue muy larga y con muchas lágrimas. En realidad recién pudieron despedirse cuando se pusieron de acuerdo en encontrarse el año siguiente en la misma fecha y en ese mismo lugar. Bruno les dijo que en el próximo encuentro les traería un trencito a batería, un juguete de niños gigantes, con el que podrían ir de un lado a otro y recorrer la región.

Explicarle a Ajhi qué es una batería eléctrica insumió otra media hora.

Al fin se separaron. Bruno y Tania vieron con asombro cómo Ajhi subía sobre el lomo de la avispa Lore y le hacía lugar para que su hijo se sentara detrás. Rok se aferró a la cintura de su padre y les anunció a gritos a sus amigos gigantes que este era su primer viaje en avispa (aunque le guiñó un ojo a Bruno).

—¡Suerte! ¡Buen viaje, amigos! —exclamaron Tania y Bruno, sin levantar la voz y muy emocionados.

Cuando la avispa ya no se veía Bruno y Tania regresaron al campamento.

Durante cuarenta y cinco pasos Bruno pensó en tomar de la mano a Tania. Pensó en todas las alternativas y riesgos que podía tener ese gesto y qué respuesta tendría él para cada una. Al fin, cuando se decidió, notó que ya era tarde: Tania lo había tomado de su mano derecha sin que él lo notara. Se puso rojo de vergüenza, tragó saliva y comenzó a caminar como un robot.

Capítulo XI

Aquella misma tarde Bruno comenzó a escribir, encerrado en su carpa. Tania pasó los días que siguieron caminando por los alrededores, sin poder evitar que sus ojos se detuvieran constantemente en cada cosa pequeña. Paseaba, practicaba algún deporte, y al fin de la tarde iba ansiosa a la carpa del pálido Bruno Wrokitzkiewitzs que terminó el primer capítulo de su novela para cuando hubo que emprender el regreso.

Gracias a la velocidad de la avispa Lore, Ajhi y Rok llegaron al pueblo en menos de un hora. Allí se enteraron de que Ryn Pif y Dori Bof de Fer Pich habían regresado el día anterior diciendo que Ajhi y Rok habían abandonado la expedición sin siquiera avisarles.

Ryn y Dori también aseguraron no haber visto a ningún gigante, que el mundo de los gigantes no existe, y que efectivamente como siempre se sospechó en el pueblo, Ajhi Larús es un loco de remate capaz de abandonar en el desierto a los expedicionarios que él mismo había convocado.

—No importa, hijo. Ya encontraremos la manera de demostrar que los gigantes existen —lo tranquilizó Ajhi a Rok.

Ni bien el ómnibus inició el viaje de regreso, sucedieron varias cosas que llamaron la atención a todos y especialmente a los profesores Lana y Bernardo. Primero el conductor detuvo en la ruta a un camionero para preguntarle cuál era la estación de servicio más cercana. El del camión asomó la cabeza y le dio las indicaciones, pero cuando iba a retomar la marcha reconoció en una de las ventanillas a Bruno.

—¡Hola, Bruno! ¿Cómo te ha ido?

—¡Fenomenal, Volvo! —le respondió Bruno, asomándose.

Los dos rieron de una forma tan exagerada que todos los del micro se quedaron asombrados.

Poco después el ómnibus llegó a la estación de servicio y el hombre que manejaba el surtidor de gasoil también reconoció a Bruno:

—¡Hola, amigo! —le dijo—. Cuando quieras venir a tomar algo, ya sabes...

—Gracias, Manuel —le respondió Bruno.

—¿Todo el mundo te conoce? —le preguntó Tania, admirada.

—¿No era que odiabas las rutas y el campo y que nunca salías de la ciudad? —le preguntó Lana.

—Bueno, en verdad, he andado mucho por las carreteras y es cierto que bastante gente me conoce y... —contestó Bruno, sin poder terminar la frase porque en ese momento vio llegar al camión de Skania. El chico sacó medio cuerpo fuera de la ventanilla para saludarlo.

—¡Skania, hermano!

ómnibus escolar

—¡Bruno, querido! ¡Tanto tiempo!

—No entiendo... —dijo el profesor Bernardo.

Durante el resto del viaje, sentada en el último asiento del ómnibus, Tania empezó a leer aquel primer capítulo, mientras Bruno, sentado a su lado, espiaba nervioso cada una de sus reacciones.

"El domingo los veinticinco alumnos de séptimo grado saludaron muy temprano a los padres y hermanos que fueron a despedirlos y viajaron tres horas en un ómnibus que finalmente los dejó en un desolado paraje", leyó Tania, aunque ese párrafo estaba tachado por una fina línea y una llamada en otro color de tinta decía: "poner este párrafo más adelante". Y el principio verdadero estaba a continuación:

"El lugar elegido para acampar no era el más apropiado y él no era precisamente un amante de la Naturaleza..."

Esta primera reimpresión de 3.500 ejemplares se terminó de imprimir en el mes de mayo de 1997 en Indugraf, Sánchez de Loria 2251, Buenos Aires, República Argentina.